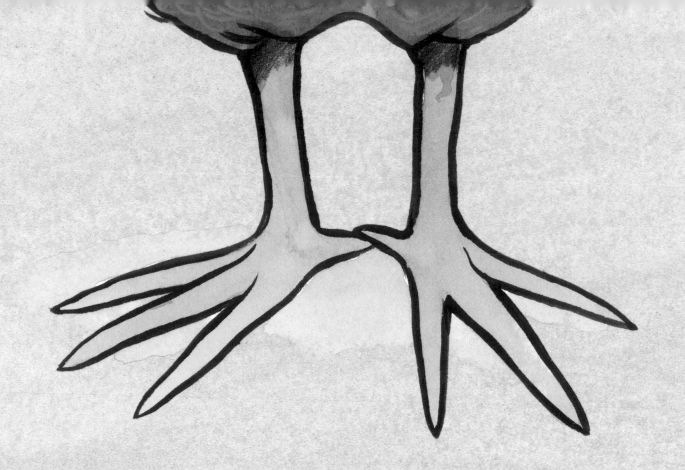

Tres gallinas
y un
pavo real

Dedicado al espíritu del señor Rogers, que solía decir: «Me gustas tal como eres».

L. L. L.

Para Winnie, con mucho afecto.

H. C.

Edición original publicada en EEUU con el título: Three Hens and a Peacock
© del texto: Lester L. Laminack, 2011
© de las ilustraciones: Henry Cole, 2011

© de la traducción española:
EDITORIAL JUVENTUD, S. A., 2013
Provença, 101 - 08029 Barcelona
info@editorialjuventud.es
www.editorialjuventud.es

Publicado con el acuerdo de Peachtree Publishers
Traducción de Teresa Farran
Primera edición, 2013
DL B 1165-2013
ISBN 978-84-261-3977-1
Núm. de edición de E. J.: 12.583
Printed in Spain
Bigsa, Pol. Ind. Congost, 08403 Granollers (Barcelona)

Tres gallinas y un pavo real

Escrito por Lester L. Laminack   Ilustrado por Henry Cole

Editorial Juventud

En la granja reinaba la paz y la tranquilidad.

Las vacas rumiaban su comida.

Las gallinas cloqueaban, picoteaban
y ponían sus huevos.

El viejo perro, echado en el porche, observaba y vigilaba.

De vez en cuando alguien se detenía para comprar tomates o maíz, tal vez un litro de leche.

Allí nunca ocurría nada fuera de lo normal.

Hasta que...

... apareció el pavo real.

Las vacas, las gallinas y el viejo perro siguieron
haciendo lo que hacían todos los días.

Pero el pavo real nunca había vivido en una granja.
No tenía ni idea de qué tenía que hacer.

Entonces desplegó sus espectaculares plumas
y empezó a gritar.

Al final, el pavo real deambuló hasta la carretera.

Cuando los coches pasaban zumbando por su lado, sacudía sus plumas y gritaba a todo pulmón.

Y, naturalmente, la gente se detenía para poder verlo mejor.

Cada día se detenía más gente a admirar al pavo real, y todos compraban tomates y maíz, huevos y leche.

¡En la granja los negocios prosperaban!

Todos *parecían* contentos
de tener tantos visitantes...

...aunque se avecinaban problemas.

Las gallinas chillaban, cloqueaban
y batían las alas.

—Nosotras hacemos todo el trabajo. Me gustaría
ver a ese pavo poner un solo huevo.

—Bien dicho. No hace más que pavonearse dando gritos. Supongo
que unas *plumas espectaculares* son más importantes que *poner huevos*.

El pavo real lo había oído todo.

Durante días estuvo deprimido, quejándose y refunfuñando.

—Desearía poder ser más útil aquí.

—Bla bla bla —cloqueó una de las gallinas. Las demás erizaron sus plumas.

El viejo perro se estiró y levantó la cabeza lentamente.

—¿Por qué no dejamos que el pavo real se quede aquí para ser *útil* mientras vosotras, las gallinas, os encargáis del *glamuroso* trabajo en la carretera?

Las tres gallinas empezaron a cacarear entre ellas.

–¡Qué plan más maravilloso!

–¡Sí! Es una magnífica idea. Simplemente hemos de adornar nuestras plumas: ponernos los collares, los lazos y las pulseras.

—Pararemos el tráfico,
sin duda. Porque, ya sabéis,
chicas, que puedo presumir
de los mejores adornos.

El pavo real se animó.

—Sí, hagámoslo. Mañana me
quedaré, me sentaré en un
ponedero y cacarearé.

—Y nosotras
nos pondremos
nuestras mejores galas
—dijeron las gallinas—.
¡Estaremos *tan* divinas!

Al día siguiente, al amanecer, las gallinas bajaron muy ufanas hacia la carretera.

El pavo real se fue derecho hacia el gallinero y metió la cabeza dentro.

Las gallinas se agruparon junto a la carretera, a la espera de algún coche.

Cuando veían acercarse alguno, cacareaban, cloqueaban y batían las alas en un torbellino de plumas. Pero todos los coches pasaban de largo.

El pavo real metió el pecho y se contoneó intentando
pasar por la pequeña puerta del gallinero.

Su mitad delantera estaba dentro pero su mitad trasera
estaba fuera.

Mientras, en la carretera,
las gallinas probaban todos
los trucos que sabían.

Aun así, ningún coche
se detuvo.

El pavo real logró por fin entrar en el gallinero.

Tomó aire y empujó con todas sus fuerzas, pero por mucho que lo intentó no consiguió poner un simple huevo.

Ni uno.

El viejo perro, echado en el porche, observaba y vigilaba.

—¿Qué está haciendo el pavo en el gallinero? —preguntó el granjero.

—Vete a saber —dijo la granjera.

—¿Y qué están haciendo esas gallinas en la carretera? No hay ninguna poniendo huevos.

–Vaya, tal como andan las cosas,
es poco probable que alguien venga
a comprar huevos hoy –dijo el granjero.

–¡*Necesitamos* que el pavo real
vuelva a parar coches!

Cuando el pavo real oyó esto, sonrió con la sonrisa más grande que jamás se haya visto en el pico de un ave.

«¡ESTOY ayudando!» pensó. Salió del estrecho
gallinero retorciéndose y se fue corriendo a buscar
a las gallinas.

Las gallinas estaban agotadas de tanto cacarear.
Todas sus plumas estaban fuera de lugar.

—¡Vaya día!

–No hemos conseguido
detener ningún coche.

–Es cierto. De hecho, la mayoría
ni siquiera ha reducido la velocidad.

El pavo real encontró a las gallinas que volvían penosamente de la carretera.

—Tengo que deciros que no soy bueno poniendo huevos. No estoy hecho para eso.

Una de las gallinas asintió con la cabeza.

–He lucido mis mejores galas y aun así no he podido parar un solo coche –dijo–. Tengo que reconocerlo, señor *Plumas Espectaculares*, tu trabajo es más duro de lo que parece.

Las demás gallinas estuvieron de acuerdo. El pavo real respiró aliviado.

Las gallinas volvieron al gallinero.

El pavo real bajó pavoneándose a la carretera.

El viejo perro, echado en el porche,
observaba y vigilaba.

Y en la granja volvió a reinar
la paz y la tranquilidad.

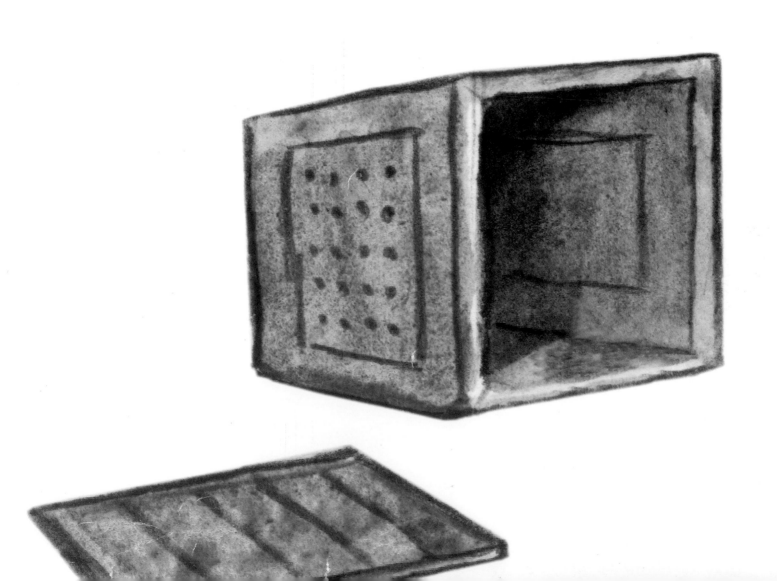